NANOFÁGICA			H.
DIA	MÊS	ANO	TIR.
04	10	24	5000
RX / TX O.W.			
ANT. LOOP			

CB061388

Editorial	**ROBERTO JANNARELLI**
	ISABEL RODRIGUES
	CAROLINA LEAL
	DAFNE BORGES
Comunicação	**MAYRA MEDEIROS**
	GABRIELA BENEVIDES
	JULIA COPPA
Preparação	**SILVIA MASSIMINI FELIX**
Revisão	**CAROLINA RODRIGUES**
	FÁBIO MARTINS
Capa	**AMANDA MIRANDA**
Projeto gráfico	**GIOVANNA CIANELLI**
Diagramação	**DESENHO EDITORIAL**

TRADUÇÃO E NOTAS:
DANIEL TURELA RODRIGUES

SÃO FANTASMINHAS CAMARADAS:

RAFAEL DRUMMOND
&
SERGIO DRUMMOND

Oscar Wilde

O fantasma de Canterville

Um romance hiloidealista

NANO

Capítulo 1

Quando o sr. Hiram B. Otis, ministro americano, comprou a mansão de Canterville, todos lhe disseram que estava fazendo uma tolice, pois não havia a menor dúvida de que o lugar era mal-assombrado. Com efeito, o próprio lorde Canterville, homem da mais escrupulosa retidão moral, sentira-se no dever de mencionar o fato ao sr. Otis quando se reuniram para discutir as condições do negócio.

— Nós mesmos desistimos de morar na casa depois que minha tia-avó, a duquesa de Bolton, quase morreu de susto ao sentir as mãos de um esqueleto lhe pousarem nos ombros quando se vestia para o jantar, episódio do qual, aliás, jamais se recuperou por completo — contou lorde Canterville. — Sinto-me na obrigação de informá-lo, sr. Otis, de que o fantasma já foi visto por vários de meus familiares ainda vivos, como também por nosso pároco, o reverendo Augustus Dampier, membro do King's College, de Cambridge. Depois do lamentável incidente com a duquesa, nenhum dos criados mais jovens quis permanecer conosco, e lady Canterville passava quase todas as noites em claro em razão dos misteriosos ruídos vindos do corredor e da biblioteca.

— Meu caro lorde — respondeu o ministro —, fixemos o preço da mobília e do fantasma. Venho de um país moderno, onde temos tudo quanto o dinheiro pode comprar, e com nossos jovens sagazes a pintar e bordar no Velho Mundo, cooptando suas melhores atrizes e primas-donas, julgo que, se houvesse na Europa algo semelhante a um fantasma, ele não demoraria a figurar num de nossos museus ou percorrer nossas estradas como atração itinerante.

— Receio que o fantasma exista — disse lorde Canterville com um sorriso —, por mais que tenha resistido às investidas de seus implacáveis empresários. É bastante conhecido há três séculos, mais precisamente desde 1584, e sempre faz uma de suas aparições antes da morte de um membro de nossa família.

— Pois nisso, lorde Canterville, ele não é diferente do médico da família. Mas fantasmas são seres fictícios, senhor, e não imagino que as leis da natureza concedam exceções à aristocracia britânica.

— Os americanos são sem dúvida muito naturais — replicou lorde Canterville, que não havia compreendido muito bem a última observação do sr. Otis —, e se a presença de um fantasma na casa não o incomoda, o assunto se encerra aqui. Só não se esqueça de que o alertei.

Algumas semanas depois, a transação foi concluída, e ao fim da primavera o ministro e a família se mudaram para Canterville. A sra. Otis, que à época era conhecida como srta. Lucretia R. Tappan e moradora da rua West 53rd, tinha sido uma célebre beldade nova-iorquina e era agora uma belíssima mulher de meia-idade, com lindos olhos e um perfil majestoso. Muitas americanas, julgando se tratar de uma forma europeia de requinte, adotam uma lividez crônica ao deixar a terra natal, mas a sra. Otis nunca cometera tal erro. Gozava de magnífica compleição e de uma vitalidade exuberante. De fato, em muitos aspectos era bastante inglesa: um excelente exemplo de como hoje em dia temos tudo em comum com os Estados Unidos, à exceção, é claro, do idioma. Seu filho mais velho, batizado Washington num arroubo patriótico dos pais que ele jamais deixava de lamentar, era um rapaz louro e muito bem-apessoado que se qualificara para a carreira diplomática americana liderando o grupo de dança de salão no Cassino de Newport por três temporadas consecutivas, e cuja reputação de exímio dançarino tinha chegado até mesmo a Londres. As gardênias e os títulos de nobreza eram suas únicas fraquezas; de resto, demonstrava muito bom senso. A srta. Virgínia E. Otis era uma jovenzinha de quinze anos, lépida e graciosa feito uma gazela, que trazia nos grandes olhos azuis um desembaraço sublime. Era uma amazona e tanto e, certa vez, montada em seu pônei, apostara duas corridas consecutivas ao redor do parque com o velho lorde Bilton, vencendo ambas por um corpo e meio de vantagem e bem diante da estátua de Aquiles. O jovem duque de Cheshire se encantou de tal maneira que lhe pediu a mão ali mesmo e, desfeito em lágrimas, foi mandado de volta ao internato de Eton pelos tutores naquela mesma noite. Depois de Virgínia vinham os gêmeos, mais conhecidos como "listrinhas vermelhas", pois viviam apanhando de chicote. Eram meninos encantadores e, excetuando-se o respeitável ministro, os únicos verdadeiros republicanos da família.

Como a mansão de Canterville fica a onze quilômetros de Ascot, a estação de trem mais próxima, o sr. Otis havia solicitado por telegrama que uma carruagem os aguardasse no local, e foi com grande entusiasmo que a família se pôs a caminho do novo lar. Era uma linda noite de julho, e o ar estava impregnado do suave aroma dos pinheiros. De vez em quando, ouviam o doce arrulhar de um pombo selvagem ou entreviam, nas profundezas da vegetação farfalhante, o peito lustroso de um faisão. À passagem da carruagem, pequenos esquilos os espreitavam dos galhos das faias, e coelhos fugiam em disparada por entre arbustos e pequenos outeiros cobertos de musgo, os rabinhos brancos em riste. Ao chegarem à alameda que os conduziria a Canterville, porém, o céu se cobriu subitamente de nuvens, uma estranha quietude pareceu pairar na atmosfera, um bando de gralhas revoou em silêncio acima deles e, antes que chegassem à casa, grossos pingos de chuva começaram a cair.

Uma senhora impecavelmente vestida com um traje de seda preta e touca e avental brancos os aguardava na entrada da casa. Era a sra. Umney, a governanta, que a sra. Otis, diante do pedido insistente de lady Canterville, havia concordado em manter no posto. A governanta saudou cada um com uma reverência conforme desciam da carruagem, pronunciando com antiquada solenidade:

— Dou-lhes as boas-vindas a Canterville.

Seguiram-na atravessando o belo saguão em estilo Tudor e chegaram à biblioteca, um aposento amplo com teto baixo e paredes revestidas de carvalho escuro, ao fundo do qual se via uma enorme janela de vitrais. Ali, encontraram a mesa do chá já posta e, depois de despirem os agasalhos, sentaram-se e puseram-se a olhar em volta enquanto a sra. Umney os servia.

De repente, a sra. Otis avistou uma mancha vermelha no chão diante da lareira e, inteiramente alheia a seu verdadeiro significado, disse à sra. Umney:

— Tenho a impressão de que derramaram algo ali.

— Sim, senhora — respondeu em tom baixo a velha governanta. — Derramaram sangue.

— Que coisa horrível! — exclamou a sra. Otis. — Não me agrada nem um pouco a ideia de uma mancha de sangue na sala de estar. É preciso que seja removida o quanto antes!

A velha senhora sorriu e respondeu com o mesmo tom de voz baixo e misterioso:

— Trata-se do sangue de lady Eleanore de Canterville, assassinada nesse mesmo local pelo próprio marido, sir Simon de Canterville, em 1575. Sir Simon viveu por mais nove anos, até desaparecer sem mais nem menos sob circunstâncias misteriosas. Seu corpo jamais foi encontrado, mas seu espírito compungido continua a assombrar a mansão. A mancha, irremovível, tornou-se objeto de grande admiração de turistas e visitantes em geral.

— Quanta bobagem! — retrucou Washington Otis. — Tenho certeza de que o removedor de manchas Campeão da Pinkerton e um pouco de detergente Paragon dão conta do recado num piscar de olhos.

E, antes que a perplexa governanta pudesse intervir, pôs-se de joelhos e desandou a esfregar o piso com um pequeno bastão do que parecia ser uma espécie de cosmético preto. Em poucos instantes, não restava qualquer vestígio da mancha de sangue.

— Eu sabia que o Pinkerton resolveria! — bradou triunfante o jovem, deleitando-se com o olhar admirado dos familiares; mal as palavras saíram de sua boca, contudo, um clarão assustador iluminou o aposento sombrio e o horripilante estrondo de um trovão fez com que a família se levantasse de um salto, ao passo que a sra. Umney desmaiou.

— Que tempo pavoroso — comentou em tom brando o ministro americano, acendendo um longo charuto. — Acho que este país está tão superpovoado que não há tempo bom o bastante para todos. Sempre fui da opinião de que a emigração é a única saída para a Inglaterra.

— Meu querido Hiram — exclamou a sra. Otis —, o que faremos com uma mulher que desmaia?

— Descontaremos do pagamento, como é de praxe com itens quebrados — respondeu o ministro. — Garanto que não se repetirá.

De fato, não levou mais que alguns instantes para que a sra. Umney voltasse a si. Não havia dúvida, no entanto, de que se encontrava extremamente abalada, e advertiu em tom grave ao sr. Otis que tomasse cuidado, pois aquela casa reservava infortúnios a seus moradores.

— Vi com meus próprios olhos, senhor, coisas que fariam qualquer cristão se arrepiar, e não foram poucas as noites em que não pude pregar os olhos por causa dos horrores que são cometidos aqui.

O sr. Otis e sua esposa, entretanto, asseguraram à boa senhora que não tinham medo de fantasmas e, depois de invocar as bênçãos da Providência para os novos patrões e negociar um aumento de salário, a velha governanta se recolheu, manquejando, a seus aposentos.

Capítulo 2

A tempestade destilou sua fúria durante toda aquela noite, mas nada fora do comum aconteceu. Ao amanhecer, porém, quando a família desceu para o café da manhã, encontraram mais uma vez a terrível mancha de sangue no piso.

— Não acho que o culpado seja o detergente Paragon — declarou Washington. — Já o testei com tudo quanto é tipo de sujeira. Só pode ser o fantasma.

Dito isso, tratou de retirá-la de novo, mas na manhã seguinte a mancha estava lá de volta. No terceiro dia não foi diferente, muito embora na noite anterior o sr. Otis tivesse trancado pessoalmente a biblioteca e vigiado a chave sem descuidar por um momento sequer. A essa altura, a família inteira estava bastante intrigada: o sr. Otis começou a suspeitar que havia sido demasiado dogmático em sua negação da existência de fantasmas, a sra. Otis aventou a intenção de se afiliar à

Sociedade Mediúnica, e Washington redigiu uma extensa carta a Frederic Myers e Frank Podmore[1] a respeito da persistência de manchas de sangue relacionadas a crimes. Naquela noite, qualquer dúvida quanto à existência objetiva dos espectros foi dissipada para sempre.

 O dia tinha sido quente e ensolarado e, quando o frescor do entardecer se instaurou, toda a família saiu a passeio. Não voltaram até as nove, quando fizeram um jantar leve. Em momento algum a conversa girou em torno de fantasmas, de modo que não havia sequer a condição primária da expectativa, prelúdio tão comum à manifestação de fenômenos sobrenaturais. Os assuntos abordados, segundo me contaria mais tarde o sr. Otis, resumiram-se aos tópicos que compõem a conversação rotineira dos americanos cultos de classes abastadas: a imensa superioridade como atriz da srta. Fanny Davenport sobre Sarah Bernhardt; a dificuldade de encontrar milho verde, canjica e

---

[1] Frederic Myers (1843-1901) e Frank Podmore (1856-1910), pioneiros na pesquisa de fenômenos sobrenaturais na Inglaterra.

panquecas de trigo-sarraceno mesmo nas melhores casas inglesas; a importância de Boston no desenvolvimento do espírito universal; as vantagens do sistema de despacho de bagagens nas viagens de trem; e a delicadeza do sotaque nova-iorquino quando comparado ao arrastado falar londrino. Não houve qualquer tipo de menção ao sobrenatural, nem tampouco se tocou no nome de sir Simon de Canterville. Às onze horas, a família se recolheu aos quartos, e em meia hora a casa estava imersa na escuridão. Algum tempo depois, o sr. Otis foi despertado por um estranho barulho no corredor, do lado de fora de seu quarto. Soava como o rangido de algo metálico e parecia cada vez mais próximo. Ele se pôs de pé num salto, riscou um fósforo e consultou o relógio. Era uma da manhã em ponto. Sentia-se perfeitamente calmo; verificou o próprio pulso e constatou que não estava acelerado. O ruído insólito persistia, e se somava a ele agora o rumor inconfundível de passos. Calçou as pantufas, retirou da gaveta um frasquinho oblongo e abriu a porta. Bem à sua frente, distinguiu sob a luz pálida do luar um velho de aspecto medonho.

Seus olhos eram vermelhos feito brasas incandescentes; o longo cabelo grisalho escorria por seus ombros em cachos emaranhados; as roupas, de talhe antiquado, estavam sujas e rotas, e dos pulsos e tornozelos pendiam algemas pesadas e grilhões enferrujados.

— Meu caro senhor — disse o sr. Otis —, preciso pedir que lubrifique essas correntes. Trouxe-lhe para tal fim este pequeno frasco do lubrificante Tammany Sol Nascente. Dizem ser inteiramente eficaz com uma única aplicação, e constam na embalagem inúmeros testemunhos nesse sentido de alguns dos mais eminentes clérigos de meu país. Deixarei o frasco junto ao candelabro para o senhor e, caso venha a precisar, terei prazer em providenciar mais.

Com essas palavras, o ministro americano depôs o produto numa mesa de mármore e, fechando a porta, retirou-se para dormir.

Por um momento, o fantasma de Canterville permaneceu imóvel, naturalmente indignado; então, espatifando o frasco no assoalho encerado, saiu em disparada pelo corredor, emitindo grunhidos

NANO

DADOS INTERNACIONAIS DE CATALOGAÇÃO NA PUBLICAÇÃO (CIP)

W671f
Wilde, Oscar
O fantasma de Canterville - coleção de bolso / Oscar Wilde;
tradução de Daniel Turela Rodrigues. – Rio de Janeiro :
Antofágica, 2024.
80 p. : il. ; 11,5 x 15,4 cm

Título original: The Canterville Ghost

•

ISBN: 978-65-80210-72-5

•

1. Literatura irlandesa. I. Rodrigues, Daniel Turela. II.
Título.

CDD: 823   CDU: 823

André Queiroz – CRB 4/2242

Todos os direitos desta edição reservados à

Antofágica

prefeitura@antofagica.com.br
instagram.com/antofagica
youtube.com/antofagica
Rio de Janeiro — RJ

O renomado fantasma aproveita agora seu sono eterno nas redondezas de Antofágica.

Acesse os textos complementares a esta edição.
Aponte a câmera do seu celular para o QR CODE abaixo.

APÓS FUGIREM ASSUSTADOS
DA MANSÃO, OS FUNCIONÁRIOS
DA IPSIS GRÁFICA COMEÇARAM
A TRABALHAR NESTA EDIÇÃO
COMPOSTA EM

Sentinel
Graphik
— E IMPRESSA EM PAPEL —
Pólen Bold 70g

Setembro   2024.

guturais e emanando uma horripilante luz esverdeada. No entanto, tão logo alcançou o patamar da grande escadaria de carvalho, uma porta se abriu, duas pequenas figuras vestidas de branco irromperam no corredor e um travesseiro passou zunindo rente à sua cabeça. Vendo-se em apuros, o fantasma recorreu às pressas à quarta dimensão do espaço como método de fuga e desapareceu pela parede de lambris, mergulhando a casa em profundo silêncio.

Ao chegar a uma pequena câmara secreta situada na ala esquerda, recostou-se num raio de luar para recobrar o fôlego e tentar assimilar a situação. Jamais, numa brilhante e ininterrupta carreira de trezentos anos, havia sido tão grosseiramente insultado. Pensou na duquesa, a quem quase matara de susto enquanto ela se admirava no espelho com suas rendas e diamantes; nas quatro criadas que tinham ficado histéricas apenas por entrever seu sorriso através das cortinas de um dos quartos de hóspedes; no reverendo, cuja vela ele havia apagado quando o homem regressava tarde da noite da biblioteca e que, martirizado por infindáveis transtornos nervosos, estivera desde então sob os cuidados de sir William Gull[2]; e na velha madame de Tremouillac, que, tendo um belo dia acordado mais cedo e visto um esqueleto sentado diante da lareira a ler seu diário, havia passado seis semanas acamada com uma crise de febre cerebral e, ao se recuperar, reconciliara-se com a Igreja e cortara laços com aquele renomado cético, Monsieur de Voltaire. Recordou a noite fatídica em que o perverso lorde Canterville fora encontrado em seu quarto com um valete de ouros atravessado na garganta, confessando pouco antes de morrer sufocado que havia usado aquela mesma carta para pilhar 50 mil libras de Charles James Fox[3] em Crockford's[4], e jurando que o fantasma o fizera engoli-la. Todas as suas grandes proezas lhe voltavam à memória, do mordomo que

---

2 Sir William Gull (1816-1890), eminente médico inglês.
3 Charles James Fox (1749-1806), parlamentar inglês e notório apostador.
4 Nome popular do St. James Club, clube de cavalheiros londrino famoso pelos jogos de apostas e cujo fundador se chamava William Crockford.

se matou com um tiro na despensa depois de ver uma mão verde batendo na janela à bela lady Stutfield, obrigada a jamais retirar do pescoço o lenço negro de veludo destinado a ocultar a cicatriz de cinco dedos cauterizados em sua pele alva, e que acabou por cometer suicídio no tanque de carpas no fim da Alameda do Rei. Com a egolatria ardorosa dos verdadeiros artistas, rememorou suas interpretações mais célebres e sorriu com amargura ao recordar a última aparição como "Ruben Rubro, ou o Bebê Enforcado", o début como "Gibeon Lúgubre, o Chupa-Sangue do Charco de Bexley" e o alvoroço que havia provocado num belo entardecer de junho ao jogar boliche com os próprios ossos no gramado da quadra de tênis. E tudo aquilo para que um bando de americanos cultuadores da modernidade tivesse a ousadia de lhe oferecer um frasco de lubrificante Sol Nascente e arremessar travesseiros em sua cabeça! Era intolerável: nenhum fantasma jamais havia sido tratado daquela maneira em toda a história. Resolveu, portanto, se vingar, e passou a noite entregue a longas ruminações.

Capítulo 3

Na manhã seguinte, quando se reuniram para o café da manhã, os membros da família Otis conversaram longamente sobre o fantasma. O ministro, é claro, estava um pouco aborrecido com a descoberta de que seu presente fora rejeitado.

— Não desejo causar mal algum ao fantasma — declarou —, e devo dizer que, considerando o tempo que ele reside na casa, não acho que seja nem um pouco educado alvejá-lo com travesseiros.

Diante de observação tão justa, pesa-me dizer, os gêmeos caíram na gargalhada.

— Por outro lado — prosseguiu —, se ele continuar se negando a usar o lubrificante Sol Nascente, teremos de confiscar suas correntes. Seria impossível dormir com tamanha barulheira do lado de fora dos quartos.

Pelo resto da semana, no entanto, não tiveram novos incômodos, e a única ocorrência atípica foi o sucessivo reaparecimento da mancha de sangue no chão da biblioteca. O fato era verdadeiramente estranho, uma vez que o sr. Otis trancava a porta do aposento todas as noites antes de dormir, e as janelas eram gradeadas. O caráter camaleônico da mancha também deu muito o que falar. Em algumas manhãs ela apresentava uma coloração vermelho-escura; noutras, passava ao escarlate ou à púrpura; certa vez, quando a família descia para as preces, de acordo com os ritos singelos da Igreja Episcopal Reformada Livre dos Estados Unidos, encontraram-na verde-esmeralda. Naturalmente, as mudanças caleidoscópicas eram fonte de grande divertimento para a família, que fazia apostas diárias quanto à próxima cor. A única que não tomava parte na brincadeira era a pequena Virgínia, que, por razões inexplicáveis, se mostrava muito aflita à visão da mancha de sangue e esteve a ponto de chorar no dia em que ela amanheceu esverdeada.

A segunda aparição do fantasma ocorreu no domingo à noite. Pouco depois de ir para a cama, a família foi despertada por um estrondo medonho no vestíbulo. Depois de descerem as escadas às pressas, descobriram que uma armadura antiga tinha se desprendido do suporte e tombado no piso de pedra; sentado numa cadeira de espaldar alto, o fantasma de Canterville esfregava os joelhos com uma expressão de profunda agonia. Os gêmeos, munidos de suas zarabatanas, desfecharam-lhe imediatamente duas bolotas com um nível de precisão que só se pode alcançar por meio de longa e cuidadosa prática alvejando professores de inglês, ao passo que o ministro lhe apontou o revólver e ordenou, segundo a etiqueta californiana, que levasse as mãos ao alto. O fantasma se levantou com um grito estridente de raiva e passou por eles como uma névoa, apagando a vela de Washington Otis no caminho e deixando-os no mais completo breu. Ao alcançar o topo da escada, recobrou a compostura e decidiu dar sua famosa risada demoníaca. Não tinham sido poucas as ocasiões em que o truque lhe fora extremamente útil. Ao que se dizia, havia sido o responsável por tornar grisalha da noite para o dia a peruca de lorde Raker e inquestionavelmente tinha levado três governantas francesas de lady Canterville a pedir demissão ainda no primeiro mês de trabalho. Assim, emitiu sua gargalhada mais horripilante, que ressoou repetidas vezes no velho teto abobadado. Mal, porém, se extinguira o eco arrepiante, abriu-se uma porta e a sra. Otis surgiu vestida com um roupão azul-claro.

— Receio que o senhor não esteja nada bem — disse —, e por isso lhe trouxe este frasco de tintura Doutor Dobell. Caso seja indigestão, verá que é um excelente remédio.

O fantasma, cravando-lhe um olhar furioso, deu início aos preparativos para se transformar num imenso cão negro, façanha pela qual gozava de justo renome e à qual o médico da família sempre atribuiu a permanente idiotia do tio de lorde Canterville, o Exmo. Thomas Horton. O som de passos se aproximando, contudo, o fez hesitar em seu cruel propósito, e ele se contentou em emitir uma ligeira fosforescência antes de desaparecer com um gemido sepulcral, bem a tempo de escapar dos gêmeos, que já se lançavam sobre ele.

Ao chegar a seus aposentos, o fantasma teve uma crise de nervos, sucumbindo à mais violenta inquietação. A vulgaridade dos gêmeos e o materialismo grosseiro da sra. Otis eram sem dúvida extremamente incômodos, porém o que mais o atormentava era o fato de ter sido incapaz de vestir a armadura. Tinha nutrido a esperança de que até mesmo americanos modernos ficariam impressionados com o "Espectro Encouraçado", se não por motivo mais sensato, ao menos em respeito a seu conterrâneo Longfellow[5], com cuja graciosa e atraente poesia ele próprio muitas vezes se entretivera quando os Canterville iam à cidade. Além do mais, a armadura era sua. Envergara-a com grande êxito no torneio de Kenilworth, recebendo efusivos elogios de ninguém menos que a Rainha Virgem[6] em pessoa. Ao vesti-la desta vez, no entanto, fora completamente subjugado pelo peso do elmo de aço e da enorme couraça, e desabara no chão de pedra, esfolando os dois joelhos e ferindo os dedos da mão direita.

---

5 Henry Wadsworth Longfellow (1807-1882), poeta americano que gozou de grande popularidade em vida e cuja obra era associada a estilos europeus de poesia.
6 Elizabeth I (1533-1603), rainha da Inglaterra entre 1558 e 1603.

Durante alguns dias, esteve extremamente debilitado e mal saiu do quarto, a não ser para efetuar o devido reparo da mancha de sangue. Todavia, tendo se devotado ao cuidado da própria saúde, restabeleceu-se e resolveu fazer uma terceira tentativa de assustar o ministro americano e sua família. Elegeu uma sexta-feira, 17 de agosto, como a data para sua aparição e, depois de passar a maior parte do dia estudando o guarda-roupa, decidiu-se afinal por um enorme chapéu de abas largas adornado com uma pena vermelha, uma mortalha com babados no pescoço e nos punhos e um punhal enferrujado. Ao anoitecer, uma tempestade violenta se abateu sobre a velha casa, com ventos tão fortes que faziam trepidar todas as portas e janelas; em suma, as condições climáticas eram ideais. Seu plano de ação era o seguinte: adentraria sorrateiramente o quarto de Washington Otis, faria barulho ao pé da cama a fim de acordá-lo e, ao som de uma música cadenciada, se apunhalaria três vezes no pescoço. Alimentava um rancor especial contra o rapaz, pois sabia que era ele quem tinha o costume de remover a famosa mancha de sangue de

Canterville com o detergente Paragon da Pinkerton. Tendo reduzido o jovem leviano e inconsequente a um estado de horror abjeto, seguiria para o cômodo ocupado pelo ministro americano e por sua esposa, onde pousaria a mão gélida e úmida na testa da sra. Otis, ao mesmo tempo que sopraria ao ouvido de seu trêmulo marido os segredos assombrosos do ossuário. Com relação à pequena Virgínia, ainda não se decidira. A menina nunca o havia injuriado de maneira alguma, e era bela e educada. Alguns gemidos sinistros dentro do armário seriam mais que suficientes, ou, caso ela ainda assim não despertasse, poderia apalpar as cobertas com dedos tremelicantes. Estava determinado, porém, a dar uma lição nos gêmeos. Evidentemente, a primeira coisa a fazer era sentar-se sobre o peito dos dois, a fim de produzir a sensação asfixiante de um pesadelo. Em seguida, como as camas eram bastante próximas uma da outra, ele se postaria entre ambas e assumiria a forma de um cadáver verde e gelado até que os dois ficassem paralisados de medo. Por fim, despindo-se da mortalha, rastejaria pelo quarto ostentando os ossos branquíssimos e o olho solto do personagem "Daniel Desmiolado, ou a Ossada do Suicida", papel em que por mais de uma ocasião produzira grande efeito e que julgava estar no mesmo nível do famoso "Martin, o Maníaco, ou o Mistério Mascarado".

Às dez e meia, o fantasma ouviu a família ir para a cama. Ainda o importunaram por algum tempo as gargalhadas espalhafatosas dos gêmeos, que, com o entusiasmo despreocupado das crianças, aprontavam travessuras antes de se entregar ao sono; às onze e quinze, no entanto, tudo estava em paz e, quando o relógio marcou meia-noite, ele se lançou ao ataque. A coruja batia contra a janela, o corvo crocitava no velho teixo e o vento gemia ao redor da casa como uma alma perdida, mas a família Otis dormia inconsciente de sua sina, e o ronco imperturbável do ministro americano se fazia ouvir apesar do temporal. O fantasma irrompeu da parede com um sorriso diabólico estampado na boca cruel e encarquilhada, e a lua ocultou o rosto atrás de uma nuvem no mesmo instante em que ele passou diante da ampla janela da sacada, onde suas armas e as de sua esposa assassinada refulgiam em azul-celeste e dourado. Seguiu adiante, deslizando como uma sombra maligna, a cuja passagem a própria escuridão parecia manifestar repúdio. Em dado momento, julgou ter ouvido alguém chamá-lo e estacou, mas, constatando que se tratava apenas dos latidos de um cão na Fazenda Vermelha, continuou a murmurar estranhas maldições do século XVI e, de quando em quando, brandir no ar da meia-noite o punhal enferrujado. Por fim, alcançou o canto do corredor que conduzia ao quarto do desafortunado Washington. Deteve-se ali por um instante, permitindo que o vento agitasse sua cabeleira grisalha e retorcesse em dobras grotescas o indizível horror de sua mortalha. Quando o relógio marcou quinze minutos, sentiu que era o momento de agir. Riu consigo mesmo e contornou o canto do corredor; mal, porém, havia completado a curva, o fantasma tombou para trás com um patético grito de pavor e escondeu o rosto lívido com as longas e ossudas mãos. Bem diante dele estava um espectro horrível, imóvel como uma estátua e monstruoso feito o pesadelo de um lunático! A cabeça era calva e lustrosa; o rosto, pálido, gordo e redondo; risadas hediondas pareciam ter esculpido em suas feições um perpétuo esgar sorridente. Dos olhos emanavam raios de luz escarlate, a boca era um poço de chamas, e um traje horripilante, semelhante ao seu, envolvia com sua neve silenciosa a figura titânica. No peito, uma tabuleta exibia estranhas inscrições em caracteres antigos, aparentemente um rol de infâmias, um registro de pecados bárbaros, um abominável calendário de crimes; com a mão direita, empunhava um alfange reluzente.

Como nunca tinha visto um espectro, o fantasma de Canterville ficou terrivelmente apavorado e, depois de mais uma olhadela furtiva para a horrenda aparição, fugiu em disparada rumo ao próprio quarto, tropeçando na longa mortalha enquanto se precipitava pelo corredor e deixando o punhal cair dentro de uma das botas de caça do ministro, onde o mordomo o encontrou na manhã seguinte. De volta à privacidade de seu dormitório, desabou na pequena cama improvisada e escondeu o rosto sob as cobertas. Passado algum tempo, entretanto, o velho e impávido espírito de

Canterville se recompôs e deliberou ir ter com o outro fantasma tão logo o dia raiasse. Assim, quando a aurora começou a emprestar aos morros os primeiros tons prateados, regressou ao local onde havia topado com a medonha assombração, ponderando que, afinal de contas, era preferível um par de fantasmas a um só e que, com o auxílio do novo amigo, talvez pudesse enfim fazer frente aos gêmeos. Lá chegando, contudo, se deparou com uma visão desalentadora. Não havia dúvida de que algo acontecera ao espectro: o brilho tinha se esvaído completamente de seus olhos vazios, o alfanje escorregara de sua mão e, recostado à parede, ele tinha um ar de tensão e desconforto. O fantasma de Canterville correu e tomou-o nos braços, mas, para seu horror, a cabeça se despregou e saiu rolando, o corpo assumiu uma postura inerte e ele se viu segurando um cortinado de fustão branco, ao passo que uma vassoura, um cutelo de cozinha e um nabo oco jaziam a seus pés. Incapaz de compreender aquela estranha transformação, apanhou com afobação febril a tabuleta e, na luz plúmbea do amanhecer, leu estas terríveis palavras:

O PHANTASMA OTIS
O umnico autentyco.
Desconfiai de immitações.
Todos os demmais sam pharsas.

Num instante, compreendeu tudo. Tinha sido ludibriado, derrotado, feito de bobo! O velho olhar característico dos Canterville lhe assomou aos olhos; ele cerrou com força as gengivas desdentadas e, erguendo os punhos engelhados acima da cabeça, jurou, na fraseologia pitoresca da escola antiga, que quando o galo Chantecler ressoasse duas vezes sua exultante trombeta, atos sanguinolentos se consumariam e a morte correria à solta com silenciosos passos.

Mal havia terminado de proferir o macabro juramento quando, do telhado avermelhado de uma casa distante, um galo cantarolou. O fantasma soltou uma longa, grave e amarga risada e esperou. Por horas a fio se manteve à espera, mas o galo, por alguma estranha razão, não voltou a cantar. Por fim, às sete e meia, a chegada dos serviçais o fez desistir de sua funesta vigília, e o fantasma retornou contrariado ao quarto, refletindo sobre suas esperanças vãs e seu malogrado propósito. Lá chegando, consultou antigos livros de cavalaria pelos quais tinha profundo apreço; segundo eles, em todas as ocasiões nas quais seu juramento fora proferido, Chantecler havia entoado seu canto uma segunda vez.

— Maldita seja essa ave desprezível — resmungou. — Em outros tempos, eu lhe cravaria minha poderosa lança na goela e a faria cacarejar ao meu ouvido sua derradeira canção!

Em seguida, recolheu-se a um confortável caixão de chumbo e ali permaneceu até o anoitecer.

Capítulo 4

No dia seguinte, o fantasma acordou se sentindo fraco e abatido. O terrível frenesi das últimas quatro semanas começava a cobrar seu preço. Seus nervos estavam em frangalhos, e o mais leve ruído lhe provocava um sobressalto. Permaneceu cinco dias trancafiado no quarto e, por fim, decidiu renunciar à mancha de sangue no chão da biblioteca. Se os Otis não a desejavam, então estava claro que não faziam por merecê-la. Eles habitavam um plano de existência rasteiro e materialista e eram incapazes de apreciar o valor simbólico dos fenômenos sensoriais. A questão das aparições fantasmagóricas e do desenvolvimento de corpos astrais, é claro, era um assunto à parte e que fugia a seu controle. Era um dever solene fazer uma aparição no corredor uma vez por semana e emitir ruídos do lado de fora da janela da sacada na primeira e na terceira quartas-feiras do mês, e ele não via como escapar honrosamente dessas obrigações.

Se era verdade que fora bastante perverso em vida, em compensação era muito consciencioso em tudo que dizia respeito ao sobrenatural. Nos três sábados seguintes, portanto, perambulou como de costume pelos corredores entre meia-noite e três da manhã, tomando todas as precauções possíveis para não ser visto nem ouvido. Descalçava as botas, pisava com muito cuidado nas velhas tábuas carcomidas, envolvia-se num grande manto negro de veludo e azeitava as correntes com o lubrificante Sol Nascente. Devo mencionar que não foi sem uma boa dose de relutância que o fantasma se convenceu a adotar essa última precaução. Certa noite, porém, enquanto a família jantava, penetrou às escondidas no quarto do sr. Otis e surrupiou o frasco. Sentiu-se um pouco humilhado a princípio, mas no fim teve o bom senso de reconhecer que a invenção tinha seus méritos, e em boa medida o produto cumpriu o que prometia. Ainda assim, apesar de todos os esforços, o fantasma não logrou reconquistar a paz. Vagando no escuro, vez por outra tropeçava em barbantes atravessados no corredor e, certa ocasião, quando estava vestido para o papel de "Isaac, o Infausto, ou o Matador das Matas de Hogley", sofreu um tombo feio ao escorregar numa camada de manteiga que os gêmeos tinham espalhado desde a entrada do Salão de Tapeçarias até o topo da escadaria de carvalho. Essa última afronta o deixou tão enfurecido que ele resolveu fazer uma última tentativa de defender sua dignidade e posição social: na noite seguinte, faria uma visita aos pirralhos insolentes de Eton vestido como o célebre "Rupert Perturbado, ou o Conde sem Cabeça".

O fantasma não aparecia com esse disfarce havia mais de setenta anos; de fato, desde que tinha assustado de tal maneira a adorável lady Barbara Modish que ela rompera de súbito o noivado com o avô do atual lorde Canterville e fugira para Gretna Green[7] com o belo Jack Castleton, declarando que nada no mundo a convenceria a entrar para uma

---

[7] Pequena cidade escocesa próxima à fronteira e para onde jovens ingleses viajavam a fim de se casar, visto que a Inglaterra, ao contrário do país vizinho, não permitia a união de menores de 21 anos sem o consentimento dos pais.

família capaz de permitir que um fantasma tão horrendo perambulasse pelo terraço ao entardecer. Mais tarde, o pobre Jack seria morto por lorde Canterville num duelo no parque de Wandsworth, e, antes mesmo de findar aquele ano, lady Barbara morreria em Tunbridge Wells em consequência de seu coração despedaçado; em todos os sentidos, portanto, a interpretação fora um sucesso. Tratava-se, contudo, de uma "caracterização" extremamente complexa, se é que se pode empregar uma expressão tão teatral para se referir a um dos maiores mistérios do sobrenatural, ou, em termos mais científicos, do mundo ultranatural; por conseguinte, o fantasma levou três horas para se aprontar. Quando por fim concluiu os preparativos, sentiu-se muito satisfeito com sua aparência. As botas de montaria de couro ficavam um tanto largas em seus pés, e ele só conseguiu achar uma das duas pistolas que compunham o figurino, mas, no geral, seu aspecto fazia jus ao personagem e, à uma e quinze da manhã, o fantasma atravessou a parede de lambris e avançou furtivamente pelo corredor. Quando chegou ao cômodo ocupado pelos gêmeos, o qual, devo mencionar, era conhecido como Quarto das Camas Azuis, em virtude da cor dos dosséis, encontrou a porta entreaberta. Com o intuito de fazer uma entrada impactante, escancarou-a de um só golpe, ao que um pesado jarro de água despencou sobre si, molhando-o até os ossos e por um triz não acertando em cheio seu ombro esquerdo. No mesmo instante, ouviu risos abafados vindos das camas de dossel. Tamanho foi o choque sobre seu sistema nervoso que o fantasma fugiu desembestado para o próprio quarto, e no dia seguinte estava acamado com um forte resfriado. Seu único consolo era o fato de que não havia levado consigo a cabeça, pois, caso contrário, as consequências poderiam ter sido muito piores.

O fantasma, assim, desistiu de toda e qualquer esperança de assustar aquela grosseira família americana, e se resignou a vagar pelos corredores com pantufas nos pés, um grosso cachecol vermelho enrolado no pescoço para protegê-lo da friagem e um pequeno arcabuz a tiracolo, como precaução contra novos ataques dos gêmeos. O golpe final ocorreu em 19 de setembro. Certo de que ali não seria importunado, havia descido para o grande saguão da entrada e se divertia debochando das amplas fotografias, assinadas por Sarony[8], do ministro americano e da esposa, que haviam tomado o lugar dos retratos da família Canterville. Trajava uma simples mas elegante mortalha suja de lama do cemitério, atara a mandíbula com um xale de linho amarelo e carregava uma pequena lamparina e uma pá de coveiro. Em verdade, estava vestido para o papel de "Jonas, o Morto sem Jazigo, ou o Furtador de Defuntos do Celeiro de Chertsey", um de seus personagens mais notáveis, do qual, aliás, os Canterville jamais se esqueceriam, visto ter sido o verdadeiro responsável pela rixa da família com lorde Rufford, vizinho da mansão. Eram cerca de duas e quinze da manhã e, ao que tudo indicava, todos dormiam a sono solto. No entanto, quando se pôs a caminho da biblioteca para conferir se ainda restava algum vestígio da mancha de sangue, lançaram-se de um desvão escuro dois vultos

---

8 Napoleon Sarony (1821-1896), fotógrafo americano que se notabilizou pelos retratos de celebridades.

que, agitando enlouquecidamente os braços acima da cabeça, gritaram "buuu!" em seu ouvido.

Acometido por um pânico que, diante das circunstâncias, era mais que compreensível, o fantasma correu em direção às escadas, mas lá esbarrou com Washington Otis, que o aguardava com uma imensa seringa de jardinagem; próximo de se ver encurralado pelos inimigos, que o cercavam de todos os lados, esgueirou-se pela grande estufa de ferro, que por sorte não estava acesa, e teve de rastejar por canos e chaminés para voltar a seus aposentos, aonde chegou num estado deplorável de imundície, desespero e consternação.

Depois do episódio, não voltou a ser visto em expedições noturnas. Os gêmeos ficaram por diversas vezes à sua espera e, para grande aborrecimento dos pais e dos criados, espalhavam cascas de nozes pelos corredores todas as noites, mas seus esforços foram em vão. Estava claro que o fantasma tinha ficado tão magoado que não voltaria a aparecer. Em consequência, o sr. Otis retomou seu grande trabalho sobre a história do Partido Democrata, ao qual se dedicava havia anos; a sra.

Otis organizou um magnífico festival de frutos do mar que encantou a todos no condado; os rapazes se entretiveram com a prática de lacrosse, *euchre*[9], pôquer e outros jogos tradicionais americanos; e Virgínia, montada em seu pônei, fez passeios pela região ao lado do jovem duque de Cheshire, que tinha ido passar a última semana de férias em Canterville. Todos acreditavam que o fantasma havia partido, e o sr. Otis chegou a escrever uma carta nesse sentido a lorde Canterville, que, em resposta, expressou sua enorme satisfação com a notícia e enviou efusivos cumprimentos à honrada esposa do ministro.

Os Otis, entretanto, estavam enganados, pois o fantasma ainda estava na casa e, embora àquela altura fosse quase um inválido, não tinha a menor intenção de dar trégua à família, sobretudo depois de descobrir que entre os convidados da casa estava o jovem duque de Cheshire, cujo tio-avô, lorde Francis Stilton, tendo apostado 100 guinéus com

---

[9] Jogo de baralho muito popular nos Estados Unidos no século XIX.

o coronel Carbury, desafiou certa vez o fantasma de Canterville a uma partida de dados e foi encontrado na manhã seguinte estirado no piso do salão de jogos num estado de paralisia tão irremediável que, apesar de ter vivido até uma idade avançada, nunca mais conseguiu dizer nada além de "duplo seis". A história repercutiu bastante à época, muito embora, é claro, em respeito aos sentimentos das duas nobres famílias, todas as previdências tenham sido tomadas a fim de abafá-la; pode-se encontrar um relato completo das circunstâncias pertinentes ao caso no terceiro volume de *As recordações do príncipe regente e de seus amigos*, de lorde Tattle. Naturalmente, portanto, o fantasma estava muito ansioso por mostrar que não havia perdido sua influência sobre os Stilton, com os quais, por sinal, mantinha laços distantes de parentesco, uma vez que o segundo casamento de sua prima de primeiro grau fora com sir de Bulkeley, de quem, como todos sabem, os duques de Cheshire são descendentes diretos. Logo, fez todos os preparativos para aparecer diante do namoradinho de Virgínia como o célebre "Monge Vampiro, ou o Beneditino

Bárbaro", uma representação tão horripilante que, quando a velha lady Startup a testemunhou, o que ocorreu na fatídica véspera de Ano-Novo de 1764, desatou a soltar os mais estridentes berros, culminando numa violenta apoplexia, e morreu dali a três dias, depois de deserdar os Canterville, os familiares mais próximos, e deixar todo o dinheiro para seu boticário em Londres. No último minuto, porém, o horror que sentia dos gêmeos o impediu de deixar o quarto, e o jovem duque dormiu um sono tranquilo sob o grande dossel emplumado do Aposento Real, sonhando com Virgínia.

Capítulo 5

Poucos dias depois, acompanhada de seu cavaleiro de cabelos cacheados, Virgínia saiu para cavalgar pelos campos de Brockley, onde seu traje sofreu um rasgo tão feio ao se enganchar numa sebe que, ao chegar em casa, ela decidiu subir pela escadaria dos fundos para que não a vissem. Quando passava pelo Salão de Tapeçarias, cuja porta estava aberta, julgou ter visto alguém lá dentro e, pensando que se tratava da aia de sua mãe, que costumava levar os afazeres para o aposento, entrou para pedir que lhe remendasse a roupa. Todavia, para sua enorme surpresa, deparou-se com o fantasma de Canterville em pessoa. Sentado ao pé da janela, ele observava o ouro decadente das árvores amarelecidas revolutear ao sabor da brisa e as folhas vermelhas dançarem loucamente ao longo da extensa alameda. A cabeça estava apoiada numa das mãos, e toda a sua atitude denotava um abatimento extremo. Com efeito, o fantasma parecia tão desolado e enfraquecido que a pequena Virgínia, cujo primeiro instinto fora fugir e se trancar no quarto, condoeu-se de sua situação e se dispôs a tentar consolá-lo. Tão delicados eram os passos de Virgínia, e tão profunda sua melancolia, que o fantasma só percebeu a presença da menina quando ela começou a falar.

— Sinto muito pelo que tem passado — disse —, mas meus irmãos voltarão a Eton amanhã e, se o senhor se comportar, estará livre de qualquer incômodo.

— É absurdo pedir que eu me comporte — replicou o fantasma, olhando com espanto para a adorável mocinha que se aventurara a falar com ele. — Um contrassenso. Preciso arrastar minhas correntes, gemer no buraco das fechaduras e vagar à noite pelos corredores, se é a isso que se refere. Do contrário, perderei minha única razão de ser.

— E desde quando isso é razão de ser? O senhor sabe muito bem o mal que já causou. A sra. Umney nos contou, no dia em que chegamos aqui, que o senhor matou a própria esposa.

— Bem, isso não posso negar — respondeu o fantasma com ar petulante —, mas foi uma questão puramente familiar e que não dizia respeito a mais ninguém.

— É muito errado matar, quem quer que seja a vítima — contestou Virgínia, que às vezes assumia uma encantadora gravidade puritana, herdada de algum antigo ancestral da Nova Inglaterra.

— Ah, como detesto a severidade barata da ética abstrata! Minha esposa, além de bastante sem graça, nunca mantinha meus colarinhos devidamente engomados e não levava o menor jeito na cozinha. Ora, certa vez abati um veado na floresta de Hogley, um magnífico animal ainda filhote, e sabe como ela o mandou servir? Enfim, não creio que venha ao caso, tudo isso pertence ao passado. No entanto, por mais que eu assuma a culpa por seu assassinato, não considero que tenha sido correto da parte dos irmãos dela me matar de fome.

— Matá-lo de fome? Oh, sr. Fantasma, quer dizer, sir Simon, o senhor está com fome? Tenho um sanduíche na bolsa, aceita?

— Não, obrigado, já não como mais; ainda assim, é muito gentil de sua parte. A senhorita é muito mais simpática que o restante de sua família, aquela gente desprezível, grosseira, vulgar e desonesta.

— Pare! — ordenou Virgínia, batendo o pé. — O senhor é que é grosseiro, desprezível e vulgar, e quanto à desonestidade, lembre-se de quem foi que assaltou minha caixa de tintas para tentar retocar aquela ridícula mancha de sangue na biblioteca. Primeiro, o senhor roubou todos os vermelhos, inclusive o escarlate, e nunca mais pude pintar o pôr do sol; depois, levou o verde-esmeralda e o amarelo cromado, até que restaram apenas o índigo e o branco chinês, e desde então eu só pude fazer cenas de luar, que são sempre deprimentes e nada fáceis de pintar. Mesmo tendo ficado furiosa, jamais contei a ninguém, e para ser sincera a coisa toda foi bastante ridícula. Onde já se viu sangue verde-esmeralda?

— Ora, e que mais eu podia fazer? — respondeu o fantasma com resignação. — Hoje em dia é dificílimo conseguir sangue de verdade e, como foi seu irmão que iniciou a disputa com seu maldito detergente Paragon, não vi mal em me apossar de suas tintas. Quanto à cor, trata-se de uma questão de gosto: os Canterville têm sangue azul, por exemplo, o mais azul em toda a Inglaterra; sei, porém, que vocês americanos não dão importância a coisas do gênero.

— O senhor não sabe nada sobre o assunto, e o melhor que pode fazer é emigrar e se instruir. Meu pai ficará muito feliz em presenteá-lo com uma passagem e, apesar dos altos impostos sobre espíritos de todos os tipos, não haverá dificuldades na alfândega, pois todos os funcionários são democratas. O senhor tem tudo para fazer um sucesso retumbante em Nova York. Conheço uma porção de gente por lá que pagaria 100 mil dólares por um avô; imagine o quanto não dariam para ter um fantasma na família.

— Não creio que os Estados Unidos seriam do meu gosto.

— Suponho que seja porque não temos ruínas nem relíquias — disse Virgínia com ar zombeteiro.

— Nenhuma ruína! Nenhuma relíquia! — reiterou o fantasma. — Vocês têm sua marinha e a etiqueta americana.

— Boa noite. Pedirei ao papai que providencie uma semana adicional de férias aos gêmeos.

— Por favor, não se vá, srta. Virgínia! — exclamou o fantasma. — Me sinto tão só e tão infeliz, e realmente não sei o que fazer. Quero dormir e não consigo.

— Que disparate! Basta se deitar e apagar a vela. Às vezes pode ser um desafio permanecer acordado, especialmente na igreja, mas não há nada de difícil em dormir. Até mesmo os bebês sabem fazê-lo, e olha que não são lá muito inteligentes.

— Não durmo há trezentos anos — declarou o espectro com tristeza, e os belos olhos azuis de Virgínia se arregalaram. — Há trezentos anos não pego no sono, e estou exausto.

Virgínia ficou muito séria, e seus pequenos lábios estremeceram feito pétalas de rosa. Aproximou-se e, ajoelhando-se junto ao fantasma, fitou-lhe o rosto velho e encarquilhado.

— Pobre fantasma — murmurou. — Não há um lugar onde o senhor possa repousar?

— Bem longe, para lá do bosque de pinheiros, há um pequeno jardim — respondeu ele com uma voz grave e meditativa. — Lá, a relva cresce solta, pontilhada por constelações de alvas flores de cicuta, e o rouxinol canta a noite toda. Canta até o amanhecer, enquanto a fria lua de cristal observa e o teixo estende os braços gigantescos sobre os dormentes.

Os olhos de Virgínia ficaram marejados de lágrimas, e ela escondeu o rosto entre as mãos.

— O senhor se refere ao Jardim da Morte — sussurrou.

— Sim, a Morte. A Morte deve ser tão bela. Deitar-se na terra fofa, o capim esvoaçando sobre a cabeça, e escutar o silêncio. Não conhecer o ontem nem o amanhã. Esquecer o tempo, perdoar a vida, estar em paz. A senhorita pode me ajudar. Pode me franquear os portais da casa da Morte, pois traz sempre em si o Amor, e o Amor é mais poderoso que a Morte.

Virgínia estremeceu, um arrepio gelado percorreu seu corpo e por alguns instantes fez-se silêncio. Era como se estivesse num sonho terrível.

O fantasma tornou a falar, e sua voz soou como o suspiro do vento.

— Por acaso já leu a velha profecia inscrita nos vitrais da biblioteca?

— Ora, muitas vezes — exclamou a menina, erguendo o rosto. — Tantas que já até sei de cor. Está pintada em letras pretas estranhas e difíceis de ler. São apenas seis versos:

Quando uma menina de ouro extrair
Adoração dos lábios do pecado,
Quando o verde infértil em flores se abrir,
E uma jovem em prantos se tiver banhado,
Então na casa nada haverá de vil
E a paz se abaterá sobre Canterville.

— Mas não sei o que significam — confessou.
— Significam — disse em tom lamentoso o fantasma — que você deve chorar comigo por meus pecados, pois não tenho lágrimas, e orar comigo por minha alma, pois não tenho fé, e então, se tiver sido sempre doce, bondosa e gentil, o Anjo da Morte terá piedade de mim. A senhorita verá vultos assustadores na escuridão, e vozes maldosas lhe sussurrarão ao pé do ouvido, mas nada será capaz de lhe fazer mal, pois contra a pureza de uma criança os poderes do inferno jamais prevalecerão.

Virgínia não respondeu, e o fantasma torceu as mãos em desespero enquanto fitava sua cabeça loura e voltada para baixo. De repente, a menina se pôs de pé, muito pálida e com um estranho brilho nos olhos.

— Não tenho medo — disse com firmeza. — Pedirei ao Anjo que tenha misericórdia do senhor.

O fantasma se levantou com um pulo e uma débil exclamação de alegria e, tomando-lhe as mãos, beijou-as com uma reverência antiquada. Os dedos eram frios como gelo e os lábios queimavam feito fogo, mas Virgínia não titubeou ao ser conduzida pelo salão escuro. Na tapeçaria verde desbotada, viam-se pequenos caçadores bordados. Eles sopravam suas trombetas e, com as diminutas mãos, faziam sinais para que ela recuasse.

— Volte, pequena Virgínia! — entoavam. — Volte!

No entanto, o fantasma apertou sua mão com mais força, e a menina fechou os olhos para ignorá-los. Animais horrendos com rabo de lagarto e olhos esbugalhados piscavam para ela da cornija da lareira, murmurando:

— Cuidado, pequena Virgínia! Cuidado! Pode ser que nunca mais a vejamos.

O fantasma, porém, deslizava mais depressa agora, e Virgínia não deu ouvidos às súplicas. Quando chegaram à extremidade do aposento, ele parou e murmurou algumas palavras que ela não conseguiu compreender. Ao abrir os olhos, Virgínia viu a parede se dissolver lentamente como uma névoa, e uma grande caverna negra surgiu à sua frente. Um vento glacial os envolveu, e ela sentiu algo lhe puxar o vestido.

— Depressa, depressa! — gritou o fantasma. — Ou será tarde demais.

E, num instante, a parede se fechou atrás deles, e o Salão de Tapeçarias ficou deserto.

Capítulo 6

Cerca de dez minutos depois, o sino anunciou que o chá estava servido e, como Virgínia não descia, a sra. Otis mandou um dos criados chamá-la. Passado algum tempo, o serviçal retornou e anunciou que não encontrara a srta. Virgínia em parte alguma. Como a menina tinha o costume de ir ao jardim ao anoitecer a fim de colher flores para a mesa do jantar, a princípio a sra. Otis não se alarmou; quando, no entanto, o relógio bateu seis horas e Virgínia ainda não tinha aparecido, começou a ficar bastante aflita e mandou os rapazes à sua procura, enquanto ela e o sr. Otis verificavam todos os aposentos da casa. Às seis e meia, os meninos voltaram e disseram que não haviam encontrado nenhum vestígio da irmã. A essa altura, estavam todos inquietos e sem saber o que fazer, até que o sr. Otis lembrou que, poucos dias antes, tinha autorizado um bando de ciganos a acampar no terreno da mansão. Assim, acompanhado pelo filho mais velho e por dois empregados, rumou às pressas para o vale de Blackfell, onde sabia que estavam instalados. O jovem duque de Cheshire, uma perfeita pilha de nervos, implorou para ir junto, mas o sr. Otis não permitiu, pois temia que uma briga se desencadeasse. Ao chegar ao local, contudo, constatou que os ciganos haviam partido, o que evidentemente ocorrera de maneira precipitada: a fogueira ainda estava acesa, e sobre a grama se viam pratos deixados para trás. Tendo encarregado Washington e os dois homens de fazer uma busca pelas vizinhanças, voltou correndo para casa e expediu telegramas a todos os inspetores de polícia do condado, solicitando que ficassem à espreita de uma menina raptada por ciganos ou vagabundos. Em seguida, ordenou que lhe trouxessem seu cavalo e, depois de insistir para que a esposa e os três filhos se sentassem à mesa para jantar, tomou a estrada para Ascot em companhia de um cavalariço. Mal havia percorrido alguns quilômetros, no entanto, quando se deu conta de que alguém o seguia a galope e, voltando-se, viu o jovem duque montado em seu pônei, com o rosto afogueado e os cabelos ao vento.

— Sinto muitíssimo, sr. Otis — exclamou o rapaz com voz ofegante —, mas não posso me sentar para jantar enquanto não acharmos Virgínia. Peço-lhe que não se aborreça comigo; se o senhor tivesse permitido que ficássemos noivos no ano passado, nada disso teria acontecido. O senhor não vai me mandar de volta, vai? Não posso voltar! Não voltarei!

O ministro não pôde deixar de sorrir diante daquele belo e atrevido rapaz e, comovido com sua devoção a Virgínia, inclinou-se sobre o cavalo, deu-lhe um tapinha afetuoso no ombro e disse:

— Pois bem, Cecil, se não pode voltar, suponho que deva vir comigo, mas teremos de lhe providenciar um chapéu assim que chegarmos a Ascot.

— Ao diabo com o chapéu! Eu quero Virgínia! — bradou o jovem duque com uma risada, e os dois seguiram rumo à estação de trem.

Lá chegando, o sr. Otis perguntou ao chefe da estação se alguém vira uma menina com as características de Virgínia na plataforma, mas não obteve nenhuma pista. O sujeito, porém, telegrafou para as demais estações da linha e garantiu que os funcionários exerceriam uma minuciosa vigilância em busca da jovem. Depois de comprar um chapéu para o duque com um comerciante de tecidos prestes a fechar as portas, o sr. Otis seguiu para Bexley, um vilarejo a cerca de seis quilômetros de distância que, segundo ouvira dizer, era conhecido por ser muito frequentado por ciganos, em razão de um grande parque situado nas proximidades. Lá, o sr. Otis e seu acompanhante despertaram o guarda local, mas não conseguiram dele nenhuma informação e, depois de esquadrinharem todo o parque a galope, retomaram o caminho de casa, chegando à mansão por volta das onze horas, mortos de cansaço e quase desesperançados. Encontraram Washington e os gêmeos os aguardando no portão com lamparinas, visto que a alameda estava escura como breu. Nada se descobrira do paradeiro de Virgínia. Os ciganos tinham sido presos nos campos de Brockley, mas a menina não estava com eles, e o bando justificou a retirada repentina alegando que haviam se enganado com respeito à data da feira de Chorton e saído às pressas por medo de se atrasarem. Na verdade, mostraram-se bastante preocupados com a notícia do desaparecimento de Virgínia, pois estavam muito gratos ao sr. Otis pela permissão de acampar em sua propriedade, e quatro deles ficaram para trás a fim de ajudar nas buscas. O tanque de carpas tinha sido dragado, e todo o terreno da mansão diligentemente vasculhado, mas sem resultado. Era evidente que, ao menos por aquela noite, Virgínia estava perdida para eles; e foi num estado do mais profundo abatimento que o sr. Otis e os rapazes se dirigiram à casa, enquanto o cavalariço seguia atrás deles com os dois cavalos e o pônei. No saguão, depararam-se com um grupo de criados apavorados e, prostrada num sofá na biblioteca e quase fora de si de medo e apreensão, estava a pobre sra. Otis, em cuja testa a velha governanta aplicava compressas de água-de-colônia. O sr. Otis insistiu para que ela comesse algo e ordenou que a ceia fosse servida para toda a família. Foi uma refeição melancólica em que quase não se proferiu palavra, e até mesmo os gêmeos, muito afeiçoados à irmã, pareciam perplexos e comovidos. Terminada a ceia, o sr. Otis, a despeito das súplicas do jovem duque, ordenou que fossem todos para a cama, afirmando que não havia mais nada que se pudesse fazer aquela noite e que, pela manhã, telegrafaria à Scotland Yard para solicitar o envio imediato de uma equipe de detetives. No instante em que deixavam a sala de jantar, o relógio da torre anunciou com retumbantes badaladas a chegada da meia-noite, e, ao fim da última delas, eles ouviram um estrondo e um grito penetrante; o estampido medonho de um trovão fez estremecer a casa, acordes de uma música sobrenatural flutuaram pelo ambiente, um painel se desprendeu ruidosamente da parede próxima ao topo da escadaria e, no patamar, muito pálida e trazendo nas mãos um pequeno porta-joias, assomou Virgínia. Em poucos segundos, todos haviam corrido ao seu encontro. A sra. Otis a apertou carinhosamente nos braços, o duque a sufocou com violentos beijos e os gêmeos executaram uma tresloucada dança marcial ao redor do grupo.

— Santo Deus! Por onde você andou, menina? — indagou o sr. Otis um tanto irritado, pensando que se tratara de alguma brincadeira pueril da filha. — Cecil e eu percorremos os quatro cantos da região à sua procura, e sua mãe por pouco não morreu de susto. Aconselho-a a jamais pregar outra peça como esta.

— Só se for no fantasma! Só se for no fantasma! — bradaram os gêmeos em meio às piruetas.

— Minha querida, graças a Deus a encontramos. Trate de nunca mais se afastar de mim — murmurou a sra. Otis, beijando a trêmula menina e alisando seus cabelos louros e embaraçados.

— Papai, eu estive com o fantasma — disse Virgínia em tom calmo. — Ele está morto, e o senhor precisa vê-lo. Fez muito mal ao longo da vida, mas estava profundamente arrependido, e antes de morrer me deu de presente esta caixinha com lindas joias.

A família a encarava em perplexa mudez, mas Virgínia se mantinha séria e falava com gravidade; por fim, voltando-se, atravessou a abertura na parede e conduziu-os por um estreito corredor secreto, enquanto Washington seguia atrás com uma vela acesa que apanhara na mesa. Mais adiante, deram com uma grande porta de carvalho crivada de pregos enferrujados. Quando Virgínia estendeu a mão e deu um leve empurrão, a porta se abriu com um rangido, e eles se viram num quartinho baixo com teto abobadado e uma pequenina janela gradeada. Havia uma enorme argola de ferro presa à parede, bem como um frágil esqueleto acorrentado a ela e que, estirado no chão de pedra, parecia estender os longos dedos descarnados na tentativa de alcançar uma travessa e um jarro de aspecto antiquíssimo, o que por muito pouco não era capaz de fazer. O jarro, cujo interior estava coberto por uma camada de musgo esverdeado, claramente já fora usado para servir água, e não havia nada na travessa além de um monte de pó. Virgínia se ajoelhou junto ao esqueleto e, unindo as delicadas mãos, pôs-se a rezar em silêncio, ao passo que os outros admiravam boquiabertos a terrível tragédia cujo segredo lhes era revelado.

— Olhem! — exclamou de repente um dos gêmeos, que tinha se achegado à janela para tentar descobrir em que ala da casa se situava o cômodo. — Vejam só! A velha amendoeira seca floresceu. Posso ver perfeitamente as flores à luz do luar.

— Deus o perdoou — disse Virgínia num tom grave ao se levantar, e uma luz de singular beleza pareceu iluminar seu rosto.

— Você é mesmo um anjo! — declarou o jovem duque, cingindo-lhe o pescoço com o braço e beijando-a.

Capítulo 7

Quatro dias depois desses estranhos acontecimentos, um cortejo fúnebre partiu da mansão de Canterville por volta das onze horas da noite. Oito cavalos pretos puxavam o carro fúnebre, cada um com um grande penacho de plumas de avestruz na cabeça, e o caixão de chumbo estava coberto por um manto púrpura bordado em ouro com o brasão dos Canterville. Criados munidos de tochas acesas escoltavam o carro fúnebre e as carruagens, e toda a procissão era muito impressionante. Lorde Canterville, vindo de Gales especialmente para o funeral, encabeçava o cortejo em companhia da pequena Virgínia. Atrás deles vinham o ministro americano e sua esposa, seguidos por Washington e pelos três meninos, e a última carruagem era ocupada pela sra. Umney. Todos concordavam que, tendo sido assombrada pelo fantasma por mais de cinquenta anos, a governanta tinha todo o direito de presenciar sua despedida. Uma profunda sepultura havia sido escavada num canto do cemitério, ao pé do velho teixo, e as preces foram proferidas de modo muito admirável pelo reverendo Augustus Dampier. Terminada a cerimônia, os criados, seguindo um antigo costume observado na família Canterville, apagaram suas tochas, e, no momento em que o caixão descia à sepultura, Virgínia deu um passo à frente e depositou sobre ele uma grande cruz confeccionada com as flores brancas e rosadas da amendoeira. Nesse instante, a lua saiu de trás de uma nuvem e inundou com seu brilho argênteo e silencioso o pequeno cemitério, e num bosque distante um rouxinol começou a cantar. Virgínia recordou as palavras do fantasma sobre o Jardim da Morte, seus olhos se turvaram de lágrimas, e ela mal abriu a boca no caminho de volta para casa.

Na manhã seguinte, antes de lorde Canterville partir para a cidade, o sr. Otis conferenciou com ele a respeito das joias que o fantasma dera a Virgínia. Eram verdadeiramente magníficas, em especial certo colar de rubis de antiga fabricação veneziana, um exemplar soberbo da joalheria do século xvi, e seu valor era tão inestimável que o sr. Otis sentia-se reticente em permitir que a filha as aceitasse.

— Milorde — disse o ministro —, sei que neste país a alienação de bens se aplica tanto a joias como a terras, e me parece claro que estas peças são, ou deveriam ser, heranças de sua família. Suplico, pois, que as leve para Londres e as considere simplesmente como uma parte de seus bens restituída em circunstâncias um tanto singulares. Quanto à minha filha, não passa de uma criança, e até hoje, alegra-me dizer, jamais manifestou maior interesse por objetos de luxo. Além disso, fui informado pela sra. Otis, que, ouso afirmar, é uma autoridade quando se trata de arte, tendo tido o privilégio de passar muitos invernos em Boston quando menina, que essas gemas possuem elevado valor monetário e, postas à venda, atingiriam altíssimos preços. Diante dessas circunstâncias, lorde Canterville, estou certo de que reconhecerá como me seria impossível permitir que elas permaneçam na posse de um membro de minha família. Além do mais, a bem da verdade, todos esses atavios fúteis, por mais convenientes ou necessários à dignidade da aristocracia britânica, não encontrariam lugar entre pessoas educadas nos princípios severos e, creio eu, imortais da simplicidade republicana. Talvez eu deva acrescentar que Virgínia gostaria muito que o senhor lhe permitisse ficar com o porta-joias como uma recordação de seu desditoso, porém equivocado antepassado. Como se trata de um objeto extremamente antigo e, por consequência, bastante deteriorado, talvez o senhor julgue oportuno atender ao pedido. De minha parte, confesso que muito me surpreende ver um filho exprimir simpatia por qualquer espécie de medievalismo, e só posso atribuí-lo ao fato de Virgínia ter nascido num subúrbio de Londres pouco depois de a sra. Otis voltar de uma viagem a Atenas.

Lorde Canterville escutou com ar compenetrado o discurso do digno ministro, alisando de vez em quando o bigode grisalho a fim de dissimular um sorriso involuntário, e, quando o sr. Otis terminou, apertou-lhe cordialmente a mão e disse:

— Meu caro senhor, sua encantadora filhinha prestou um serviço muito importante a meu desventurado antepassado, sir Simon, e minha família e eu lhe somos profundamente agradecidos por sua extraordinária coragem e determinação. Não me resta dúvida de que as joias pertencem a ela, e creio que se, ai de mim, eu fosse tão desalmado a ponto de tirá-las de suas mãos, o velho maldoso não tardaria a sair do túmulo para me infernizar a vida. Quanto a constituírem uma herança familiar, tal só poderia ser verdade se constassem num testamento ou em outro documento legal, e a existência dessas joias só passou a ser conhecida agora. Asseguro-lhe que não tenho mais direitos sobre elas do que seu mordomo, e atrevo-me a dizer que, quando crescer, a srta. Virgínia ficará contente em ter adereços bonitos para usar. Ademais, sr. Otis, não esqueçamos que o senhor optou por adquirir os móveis e o fantasma junto com a casa, de modo que os pertences da assombração foram imediatamente transferidos para seu nome, uma vez que, a despeito dos sinais de atividade que possa ter demonstrado no corredor durante as noites, sir Simon era um homem morto sob o ponto de vista da lei.

O sr. Otis, desconcertado com a recusa de lorde Canterville, rogou-lhe que reconsiderasse a decisão, mas o bom fidalgo se manteve irredutível e acabou por convencer o ministro a permitir que a filha conservasse o presente do fantasma, e quando, na primavera de 1890, a jovem duquesa de Cheshire foi apresentada à rainha por ocasião de seu casamento, as joias foram motivo de admiração geral. Virgínia recebeu a coroa ducal, a recompensa de toda boa menina americana, e se casou com o jovem namorado tão logo ele atingiu a maioridade. Os dois eram tão encantadores e se amavam tanto que ficaram todos muito contentes com o enlace, à exceção da velha marquesa de Dumbleton, que havia tentado fisgar o duque para uma das sete filhas solteiras e dera nada menos que três dispendiosos jantares com esse propósito, e, curiosamente, do próprio sr. Otis. Pessoalmente, o pai de Virgínia era muito afeiçoado ao jovem duque, mas se opunha em teoria aos títulos de nobreza e, em suas próprias palavras, "temia que, sob a influência enervante de uma aristocracia amante dos prazeres, os verdadeiros princípios da simplicidade republicana acabassem olvidados". Suas objeções, porém, foram inteiramente rejeitadas, e acredito que no momento em que percorreu a nave da igreja de St. George, em Hanover Square, de braços dados com a filha, não havia nos quatro cantos da Inglaterra homem mais orgulhoso que ele.

Depois da lua de mel, o duque e a duquesa voltaram à mansão de Canterville e, no dia seguinte pela tarde, caminharam até o ermo cemitério próximo ao bosque de pinheiros. A princípio, a escolha da inscrição para a lápide de sir Simon fora motivo de grande discussão, mas, por fim, ficara decidido que se gravariam apenas as iniciais do velho aristocrata e os versos da janela da biblioteca. A duquesa tinha trazido consigo lindas rosas, que espalhou sobre o túmulo, e, depois de permanecer ali por algum tempo, o casal seguiu para o santuário em ruínas da velha abadia. Lá, a duquesa sentou-se numa pilastra tombada, enquanto o marido, estirado a seus pés, fumava um cigarro e admirava-lhe os belos olhos. De súbito, o duque atirou longe o cigarro, tomou sua mão e disse:

— Virgínia, uma esposa não deve esconder segredos do marido.

— Querido Cecil! Não escondo segredos de você.

— Esconde, sim — disse ele com um sorriso. — Você nunca me contou o que lhe aconteceu quando ficou trancada com o fantasma.

— Eu nunca contei a ninguém, Cecil — respondeu gravemente a jovem.

— Sei disso, mas poderia contar a mim.

— Por favor, não me peça isso, Cecil, não posso lhe contar. Pobre sir Simon! Devo muito a ele. É verdade, Cecil, não ria. Ele me fez ver o que é a Vida, o que a Morte significa e por que o Amor é mais forte que ambos.

O duque se levantou e beijou carinhosamente a esposa.

— Você pode manter seu segredo se eu puder ter seu coração — murmurou.

— Ele sempre foi seu, Cecil.

— E um dia você contará aos nossos filhos, não é mesmo?

Virgínia corou.

Oscar Wilde (1854-1900) foi um escritor e dramaturgo irlandês. Produziu inúmeras peças de teatro, e seu único romance, *O retrato de Dorian Gray*, é um dos livros mais importantes da literatura mundial. Wilde teve a carreira interrompida por um escândalo judicial envolvendo sua homossexualidade, resultando em uma condenação a trabalhos forçados. Após liberto, foi para a França, onde faleceu aos 46 anos.

Leve grandes histórias

NANO

The
xx